Hwyl yn y Ffair

Heddiw, mae Peppa a'i theulu'n mynd i'r ffair.

"Soch! Sleid, sleid!" meddai George, gan chwerthin.

"Mae George eisiau mynd ar y dwmbwr-dambar," meddai Dadi Mochyn.

Mae Dadi Mochyn a George yn cerdded tuag at y dwmbwr-dambar.

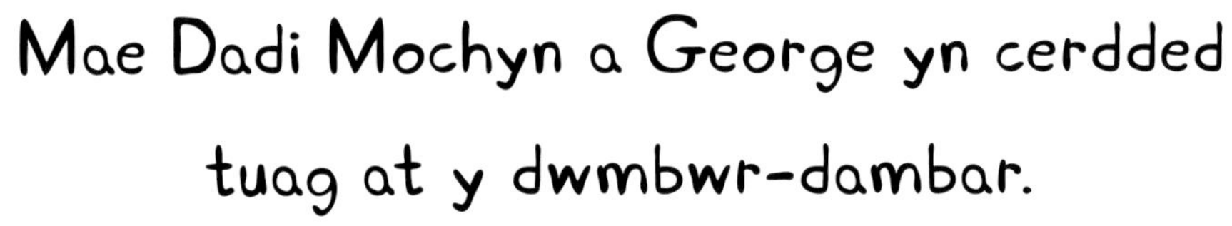

"Dewch yn llu! Dewch yn llu!" gwaedda Miss Cwningen. "Bachwch hwyaden er mwyn ennill tedi anferth!"

"Fe wna i fy ngorau i ennill un i ti, Peppa," meddai Mami Mochyn. "Ond rwy'n siŵr na fydd hyn yn hawdd!"

"Mae'n amhosib!" meddai Miss Cwningen, gan chwerthin.

"Gawn ni weld am hynny!" meddai Mami Mochyn.

Sblash! Mae Mami Mochyn wedi bachu hwyaden!

"Hwrê!" meddai Peppa'n llawen.

"Mae hynna'n anhygoel!" gwaeddodd Miss Cwningen.

"Dyma eich tedi anferth!"

"Fyddai'n well gennyt ti gael tedi bach, Peppa?"

"Ddim o gwbl!" meddai Peppa, gan chwerthin yn braf.

Mae George a Dadi Mochyn wrth y dwmbwr-dambar.
"Mmm, mae'r llithren braidd yn uchel, George. Wyt ti'n siŵr dy fod ti am roi cynnig arni?" gofynna Dadi Mochyn.
Mae George yn chwerthin ac yn rhedeg i fyny'r grisiau i ben y dwmbwr-dambar, ond mae'r llithren yn rhy uchel ac mae George yn dechrau crio.
"Paid â phoeni, George, fe ddo' i i fyny atat ti," meddai Dadi Mochyn.

"Hi, hi! Waaa!" gwaedda George, wrth lithro'r holl ffordd i lawr y dwmbwr-dambar. Erbyn hyn, mae George yn mwynhau ac wedi anghofio bod ofn arno.

"Mae'r llithren braidd yn uchel," meddai Dadi Mochyn yn nerfus.

Wps! Mae Dadi Mochyn yn syrthio i lawr y llithren!

Ooo!

Mae Peppa a Mami Mochyn wrth stondin 'Taro'r Targed'.

"Mae hwnna'n edrych yn hawdd, Mami," meddai Peppa.

"Ho, ho! Enillwch chi byth!" meddai Mr Labrador, gan chwerthin.

"Mae merched yn anobeithiol am wneud hyn!"

"Beth ddwedsoch chi?" meddai Mami Mochyn yn flin.

Mae hi'n codi'r bwa a'r saeth ac yn anelu . . .

Wwwsh!
Mae'r saeth yn taro
canol y targed.

Mae Mami Mochyn yn ennill unwaith eto!

"Anhygoel," gwaedda Mr Labrador. "Dyma'ch tedi!"

"Hwrê!" meddai Peppa'n llawen.

Mae ganddi hi ddau dedi anferth rŵan.

Mae Dadi Mochyn a George yn eistedd ar yr olwyn fawr. Mae George wrth ei fodd, ond mae Dadi Mochyn ychydig yn ofnus.

"Mae hi braidd yn uchel!" meddai Dadi Mochyn, wrth droi a throi ar yr olwyn fawr.

"Hi, hi. Soch!" meddai George, gan chwerthin.

Mae Dadi Mochyn a George
yn dod o hyd i Peppa a Mami Mochyn.
“Rhowch gnoc i'r botwm gyda'r morthwyl,” meddai
Mr Tarw. “Os canwch chi'r gloch, bydd gwobr i chi!”
“Fe wna i roi cynnig arni,” meddai Dadi Mochyn.
“Ewch o'r ffordd!”
“Rwy'n credu dy fod ti'n dal yn simsan ar ôl bod ar
yr olwyn fawr!” meddai Mami Mochyn.

"Ho, ho!" meddai Mr Tarw, gan chwerthin.
"Mae Dadi Mochyn braidd yn sigledig!"

"Beth?" meddai Mami Mochyn yn flin.
"Dewch ... â'r ... morthwyl ... yna ... i ... mi!"
Chwap! Mae Mami Mochyn yn taro'r
botwm mor galed ag y gall hi.
Mae'r gloch yn canu'n swnllyd. Ding! Ding! Ding!

Mae pawb yn llawn edmygedd ac mae Mami
Mochyn yn ennill pob un tedi anferth sydd yn y ffair!
“Hwrê!” meddai Peppa’n llawen, wrth
iddi roi tedi i bob un o’i ffrindiau.
“Hwrê!” meddai pawb yn llawen.
“Rydyn ni wrth ein bodd yn y ffair!”